世界名詩選集／김 소 월

SEO MUN DANG'S
SCENTED TREASURY
OF WORLD POETRY
AND
FINE ART

世界名詩選集

김 소 월

瑞文堂

김 소 월 / 차 례

I. 진달래꽃

진달래꽃

나 보기가 역겨워
가실 때에는
말없이 고이 보내 드리우리다

영변(寧邊)에 약산(藥山)
진달래꽃
아름 따다 가실 길에 뿌리우리다

가시는 걸음걸음
놓인 그 꽃을
사뿐히 즈려밟고 가시옵소서

나 보기가 역겨워
가실 때에는
죽어도 아니 눈물 흘리우리다

가는 길

그립다
말을 할까
하니 그리워

그냥 갈까
그래도

다시 더 한 번……

저 산(山)에도 가마귀, 들에 가마귀,
서산(西山)에는 해진다고
지저귑니다.

앞 강(江)물, 뒷 강(江)물,
흐르는 물은
어서 따라오라고 따라가자고
흘러도 연달아 흐릅디다려.

해가 산(山)마루에 저물어도

해가 산(山)마루에 저물어도
내게 두고는 당신 때문에 저뭅니다.

해가 산(山)마루에 올라와도
내게 두고는 당신 때문에 밝은 아침이라고 할 것입니다.

땅이 꺼져도 하늘이 무너져도
내게 두고는 끝까지 모두 다 당신 때문에 있습니다.

다시는, 나의 이러한 맘뿐은, 때가 되면,
그림자같이 당신한테로 가오리다.

오오, 나의 애인(愛人)이었던 당신이어.

접 동 새

접동
접동
아우래비접동

진두강(津頭江)가람가에 살던 누나는
진두강(津頭江)앞 마을에
와서 웁니다

옛날, 우리나라
먼 뒤쪽의
진두강(津頭江)가람가에 살던 누나는
이붓어미 시샘에 죽었습니다

누나라고 불러 보랴
오오 불설워
시새움에 몸이 죽은 우리 누나는
죽어서 접동새가 되었습니다

아홉이나 남아 되던 오랩 동생을
죽어서도 못 잊어 차마 못 잊어
야삼경(夜三更) 남 다 자는 밤이 깊으면
이 산(山) 저 산(山) 옮아가며 슬피 웁니다

옛이야기

고요하고 어두운 밤이 오면은
어스레한 등(灯)불에 밤이 오면은
외로움에 아픔에 다만 혼자서
하염없는 눈물에 저는 웁니다

제 한몸도 예전엔 눈물 모르고
조그만한 세상(世上)을 보냈습니다
그때는 지난 날의 옛이야기도
아무 설움 모르고 외었습니다

그런데 우리 님이 가신 뒤에는
아주 저를 버리고 가신 뒤에는
전(前)날에 제게 있던 모든 것들이
가지가지 없어지고 말았습니다

그러나 그 한때에 외어 두었던
옛이야기뿐만은 남았습니다
나날이 짙어 가는 옛이야기는
부질없이 제 몸을 울려 줍니다

님의 노래

그리운 우리 님의 맑은 노래는
언제나 내 가슴에 젖어 있어요

긴 날을 문(門) 밖에서 서서 들어도
그리운 우리 님의 고운 노래는
해지고 저무도록 귀에 들려요
밤들고 잠드도록 귀에 들려요

고이도 흔들리는 노랫가락에
내 잠은 그만이나 깊이 들어요
고적(孤寂)한 잠자리에 홀로 누워도
내 잠은 포스근히 깊이 들어요

그러나 자다 깨면 님의 노래는
하나도 남김 없이 잃어버려요
들으면 듣는 대로 님의 노래는
하나도 남김 없이 잊고 말아요

산(山)

산(山)새도 오리나무
위에서 운다
산(山)새는 왜 우노, 시메산(山)골
영(嶺) 넘어갈라고 그래서 울지.

눈은 나리네, 와서 덮이네.
오늘도 하룻길
칠팔십 리(七八十里)
돌아서서 육십 리(六十里)는 가기도 했소.

불귀(不歸), 불귀(不歸), 다시 불귀(不歸),
삼수갑산(三水甲山)에 다시 불귀(不歸).
사나이 속이라 잊으련만,
십오 년(十五年) 정분을 못 잊겠네

산(山)에는 오는 눈, 들에는 녹는 눈.
산(山)새도 오리나무
위에서 운다.
삼수갑산(三水甲山) 가는 길은 고개의 길.

풀 따 기

우리 집 뒷산(山)에는 풀이 푸르고
숲 사이의 시냇물, 모래 바닥은
파아란 풀 그림자, 떠서 흘러요.

그리운 우리 님은 어디 계신고.
날마다 피어나는 우리 님 생각.
날마다 뒷산(山)에 홀로 앉아서
날마다 풀을 따서 물에 던져요.

흘러가는 시내의 물에 흘러서
내어던진 풀잎은 옅게 떠갈 제
물살이 해적해적 품을 헤쳐요.

그리운 우리 님은 어디 계신고.
가엾는 이내 속을 둘 곳 없어서
날마다 풀을 따서 물에 던지고
흘러가는 잎이나 맘해 보아요.

왕 십 리(往十里)

비가 온다
오누나
오는 비는
올지라도 한 닷새 왔으면 좋지.

여드레 스무날엔
온다고 하고
초하루 삭망(朔望)이면 간다고 했지.
가도가도 왕십리(往十里) 비가 오네.

웬걸, 저 새야
울랴거든
왕십리(往十里) 건너가서 울어나 다고,
비맞아 나른해서 벌새가 운다.

천안(天安)에 삼거리 실버들도
촉촉히 젖어서 늘어졌다데.
비가 와도 한 닷새 왔으면 좋지.
구름도 산(山)마루에 걸려서 운다.

길

어제도 하룻밤
나그네 집에
가마귀 가왁가왁 울며 새었소.

오늘은
또 몇십 리(十里)
어디로 갈까.

산(山)으로 올라갈까
들로 갈까
오라는 곳이 없어 나는 못 가오.

말 마소 내 집도
정주 곽산(定州郭山)
차(車) 가고 배 가는 곳이라오.

여보소 공중에
저 기러기
공중엔 길 있어서 잘 가는가?

여보소 공중에
저 기러기
열 십자(十字) 복판에 내가 섰소.

갈래갈래 갈린 길
길이라도
내게 바이 갈 길은 하나 없소.

삼수갑산(三水甲山)

—— 차 안서 선생 삼수갑산 운(次岸曙先生三水甲山韻)——

삼수갑산(三水甲山) 내 왜 왔노 삼수갑산(三水甲山)이 어디뇨
오고나니 기험(奇險)타 아하 물도 많고 산(山) 첩첩이라 아하하

내 고(故)향을 도로 가자 내 고향을 내 못 가네
삼수갑산(三水甲山) 멀드라 아하 촉도지난(蜀道之難)이 예로구나
아하하

삼수갑산(三水甲山)이 어디뇨 내가 오고 내 못 가네
불귀(不歸)로다 내 고(故)향 아하 새가 되면 떠가리라 아하하

님 계신 곳 내 고향을 내 못 가네 내 못 가네
오다가다 야속타 아하 삼수갑산(三水甲山)이 날 가두었네 아하하

내 고향을 가고지고 오호 삼수갑산(三水甲山) 날 가두었네
불귀(不歸)로다 내 몸이야 아하 삼수갑산(三水甲山) 못 벗어난다
아하하

(平北龜城郡西山面 坪地洞 金 湜 造)

엄마야 누나야

엄마야 누나야 강변(江邊) 살자,
뜰에는 반짝이는 금(金)모래빛,
뒷문(門) 밖에는 갈잎의 노래
엄마야 누나야 강변(江邊) 살자.

꿈꾼 그 옛날

밖에는 눈, 눈이 와라,
고요히 창(窓) 아래로는 달빛이 들어라.
어스름 타고서 오신 그 여자(女子)는
내 꿈의 품속으로 들어와 안겨라.

나의 벼개는 눈물로 함빡히 젖었어라.
그만 그 여자(女子)는 가고 말았느냐.
다만 고요한 새벽, 별 그림자 하나가
창(窓) 틈을 엿보아라.

나는 세상 모르고 살았노라

「가고 오지 못한다」는 말을
철없던 내 귀로 들었노라.
만수산(萬壽山)을 나서서
옛날에 갈라선 그 내 님도
오늘날 뵈올 수 있었으면.

나는 세상 모르고 살았노라,
고락(苦樂)에 겨운 입술로는
같은 말도 조금 더 영리(怜悧)하게
말하게도 지금은 되었건만.
오히려 세상 모르고 살았으면!

「돌아서면 무심타」는 말이
그 무슨 뜻인 줄을 알았으랴.
제석산(啼昔山) 붙는 불은 옛날에 갈라선 그 내 님의
무덤엣 풀이라도 태웠으면!

님 에 게

한때는 많은 날을 당신 생각에
밤까지 새운 일도 없지 않지만
아직도 때마다는 당신 생각에
축업은 베갯가의 꿈은 있지만

낯모를 딴 세상의 네 길거리에
애달피 날 저무는 갓 스물이요
캄캄한 어두운 밤 들에 헤매도
당신은 잊어버린 설움이외다

당신을 생각하면 지금이라도
비오는 모래밭에 오는 눈물의
축업은 베갯가의 꿈은 있지만
당신은 잊어버린 설움이외다

실   제(失題)

이 가람과 저 가람이 모두 쳐흘러
그 무엇을 뜻하는고?

미더움을 모르는 당신의 맘

죽은 듯이 어두운 깊은 골의
꺼림칙한 괴로운 몹쓸,꿈의
퍼르죽죽한 불길은 흐르지만

더듬기에 지치운 두 손길은
불어가는 바람에 식히셔요

밝고 호젓한 보름달이
새벽의 흔들리는 물노래로
수줍음에 추움에 숨을 듯이
떨고 있는 물 밑은 여기외다.

미더움을 모르는 당신의 맘

저 산(山)과 이 산(山)이 마주 서서
그 무엇을 뜻하는고?

고적(孤寂)한 날

당신님의 편지(便紙)를
받은 그 날로
서러운 풍설(風說)이 돌았습니다.

물에 던져 달라고 하신 그 뜻은
언제나 꿈꾸며 생각하라는
그 말씀인 줄 압니다.

흘려 쓰신 글씨나마
언문(諺文) 글자로
눈물이라고 적어 보내셨지요.

물에 던져 달라고 하신 그 뜻은
뜨거운 눈물 방울방울 흘리며,
맘 곱게 읽어 달라는 말씀이지요.

자나 깨나 앉으나 서나

자나 깨나 앉으나 서나
그림자 같은 벗 하나이 내게 있었습니다.

그러나, 우리는 얼마나 많은 세월을
쓸데없는 괴로움으로만 보내었겠습니까!

오늘은 또 다시, 당신의 가슴 속, 속모를 곳을
울면서 나는 휘저어 바리고 떠납니다그려.

허수한 맘, 둘 곳 없는 심사(心事)에 쓰라린 가슴은
그것이 사랑, 사랑이던 줄이 아니도 잊힙니다.

II. 못 잊어

못 잊어

못 잊어 생각이 나겠지요,
그런대로 한 세상 지내시구려,
사노라면 잊힐 날 있으리다.

못 잊어 생각이 나겠지요,
그런대로 세월만 가라시구려,
못 잊어도 더러는 잊히오리다.

그러나 또 한긋 이렇지요,
「그리워 살뜰히 못 잊는데,
어쩌면 생각이 떠지나요?」

황촉(黃燭)불

황촉(黃燭)불, 그저도 까맣게
스러져 가는 푸른 창(窓)을 기대고
소리조차 없는 흰 밤에,
나는 혼자 거울에 얼굴을 묻고
뜻없이 생각없이 들여다보노라.
나는 이르노니, 「우리 사람들
첫날밤은 꿈속으로 보내고
죽음은 조는 동안에 와서,
별(別) 좋은 일도 없이 스러지고 말어라.」

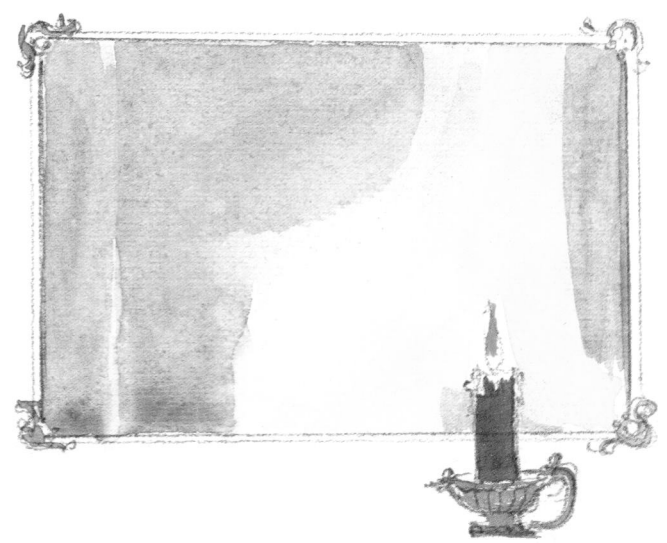

맘 켱기는 날

오실 날
아니 오시는 사람!
오시는 것 같게도
맘 켱기는 날!
어느덧 해도 지고 날이 저무네!

밤

홀로 잠들기가 참말 외로와요
맘에는 사뭇차도록 그리워와요
이리도 무던히
아주 얼굴조차 잊힐 듯해요.

벌써 해가 지고 어둡는데요,
이곳은 인천(仁川)에 제물포(濟物浦), 이름난 곳,
부슬부슬 오는 비에 밤이 더디고
바닷바람이 춥기만 합니다.

다만 고요히 누워 들으면
다만 고요히 누워 들으면
하이얗게 밀어드는 봄 밀물이
눈 앞을 가로막고 흐느낄 뿐이야요.

바   다

뛰노는 흰 물결이 일고 또 잦는
붉은 풀이 자라는 바다는 어디

고기잡이꾼들이 배 위에 앉아
사랑 노래 부르는 바다는 어디

파랗게 좋이 물든 남(藍)빛 하늘에
저녁놀 스러지는 바다는 어디

곳 없이 떠다니는 늙은 물새가
떼를 지어 좇니는 바다는 어디

건너서서 저편(便)은 딴 나라이라
가고 싶은 그리운 바다는 어디

님의 말씀

세월이 물과 같이 흐른 두 달은
길어 둔 독엣 물도 찌었지마는
가면서 함께 가자 하던 말씀은
살아서 살을 맞는 표적이외다

봄풀은 봄이 되면 돋아나지만
나무는 밑그루를 꺾은 셈이요
새라면 두 쭉지가 상(傷)한 셈이라
내 몸에 꽃필 날은 다시 없구나

밤마다 닭소래라 날이 첫시(時)면
당신의 넋 맞이로 나가 볼 때요
그믐에 지는 달이 산(山)에 걸리면
당신의 길신가리 차릴 때외다

세월은 물과 같이 흘러가지만
가면서 함께 가자 하던 말씀은
당신을 아주 잊던 말씀이지만
죽기 전(前) 또 못 잊을 말씀이외다

산(山) 위에서

산(山) 위에 올라서서 바라다보면
가로막힌 바다를 마주 건너서
님 계시는 마을이 내 눈 앞으로
꿈 하늘 하늘같이 떠오릅니다

흰 모래 빗긴 선창(船倉)가에는
한가한 뱃노래가 멀리 잦으며
날 저물고 안개는 깊이 덮여서
흩어지는 물꽃뿐 안득입니다

이윽고 밤 어둡는 물새가 울면

물결 좇아 하나 둘 배는 떠나서
저 멀리 한바다로 아주 바다로
마치 가랑잎같이 떠나갑니다

나는 혼자 산(山)에서 밤을 새우고
아침해 붉은 볕에 몸을 씻으며
귀 기울고 솔곳이 엿듣노라면
님 계신 창(窓) 아래로 가는 물노래

흔들어 깨우치는 물노래에는
내 님이 놀라 일어 찾으신대도
내 몸은 산(山) 위에서 그 산(山) 위에서
고이 깊이 잠들어 다 모릅니다

개 여 울

당신은 무슨 일로
그리합니까?
홀로이 개여울에 주저앉아서

파릇한 풀포기가
돋아나오고
잔물은 봄바람에 해적일 때에

가도 아주 가지는
않노라시던
그러한 약속(約束)이 있었겠지요

날마다 개여울에
나와 앉아서
하염없이 무엇을 생각합니다

가도 아주 가지는
않노라심은
굳이 잊지 말라는 부탁인지요

가시나무

산에도 가시나무 가시덤불은
덤불덤불 산마루로 벋어 올랐소.

산에는 가랴 해도 가지 못하고
바로 말로 집도 있는 내 몸이라오.

길에 나선 혼잣몸의 홑 옷자락은
하룻밤에 두세 번은 젖기도 했소.

들에도 가시나무 가시덤불은
덤불덤불 들 끝으로 벋어 나갔소.

꿈

닭 개 짐승조차도 꿈이 있다고
이르는 말이야 있지 않은가,
그러하다, 봄날은 꿈꿀 때.
내 몸에야 꿈이나 있으랴,
아아 내 세상의 끝이어,
나는 꿈이 그리워, 꿈이 그리워.

불운(不運)에 우는 그대여

불운(不運)에 우는 그대여, 나는 아노라
무엇이 그대의 불운(不運)을 지었는지도,
부는 바람에 날려,
밀물에 흘러,
굳어진 그대의 가슴 속도.
모두 지나간 나의 일이면.
다시금 또 다시금
적황(赤黃)의 포말(泡沫)은 북고여라, 그대의 가슴 속의
암청(暗靑)의 이끼여, 거칠은 바위
치는 물가의.

III. 산유화

비단 안개

눈들이 비단 안개에 둘리울 때,
그때는 차마 잊지 못할 때러라.
만나서 울던 때도 그런 날이오,
그리워 미친 날도 그런 때러라.

눈들이 비단 안개에 둘리울 때,
그때는 홀목숨은 못 살 때러라.
눈 풀리는 가지에 당치마귀로
젊은 계집 목매고 달릴 때러라.

눈들이 비단 안개에 둘리울 때,
그때는 종달새 솟을 때러라.
들에랴, 바다에랴, 하늘에서랴,
아지 못할 무엇에 취(醉)할 때러라.

눈들이 비단 안개에 둘리울 때,
그때는 차마 잊지 못할 때러라.
첫사랑 있던 때도 그런 날이오
영이별 있던 날도 그런 때러라.

하늘 끝

불현듯
집을 나서 산(山)을 치달아
바다를 내다보는 나의 신세(身勢)여!
배는 떠나 하늘로 끝을 가누나!

산 유 화(山有花)

산(山)에는 꽃 피네
꽃이 피네
갈 봄 여름 없이
꽃이 피네

산(山)에
산(山)에
피는 꽃은
저만치 혼자서 피어 있네

산(山)에서 우는 적은 새요
꽃이 좋아
산(山)에서
사노라네

산(山)에는 꽃 지네
꽃이 지네
갈 봄 여름 없이
꽃이 지네

가을 저녁에

물은 희고 길구나, 하늘보다도.
구름은 붉구나, 해보다도.
서럽다, 높아가는 긴 들 끝에
나는 떠돌며 울며 생각한다, 그대를.

그늘 깊어 오르는 발 앞으로
끝없이 나아가는 길은 앞으로.
키 높은 나무 아래로, 물마을은
성깃한 가지가지 새로 떠오른다.

그 누가 온다고 한 언약(言約)도 없건마는 !
기다려 볼 사람도 없건마는 !
나는 오히려 못물가를 싸고 떠돈다.
그 못물로는 놀이 잦을 때.

부　부(夫婦)

오오 아내여, 나의 사랑!
하늘이 무어 준 짝이라고
믿고 살음이 마땅치 아니한가.
아직 다시 그러랴, 안 그러랴?
이상하고 별납은 사람의 맘,
저 몰라라, 참인지, 거짓인지?
정분(情分)으로 얽은 딴 두 몸이라면.
서로 어그점인들 또 있으랴.
한평생(限平生)이라도 반백 년(半百年)
못 사는 이 인생(人生)에!
연분(緣分)의 긴 실이 그 무엇이랴?
나는 말하려노라, 아무러나,
죽어서도 한곳에 묻히더라.

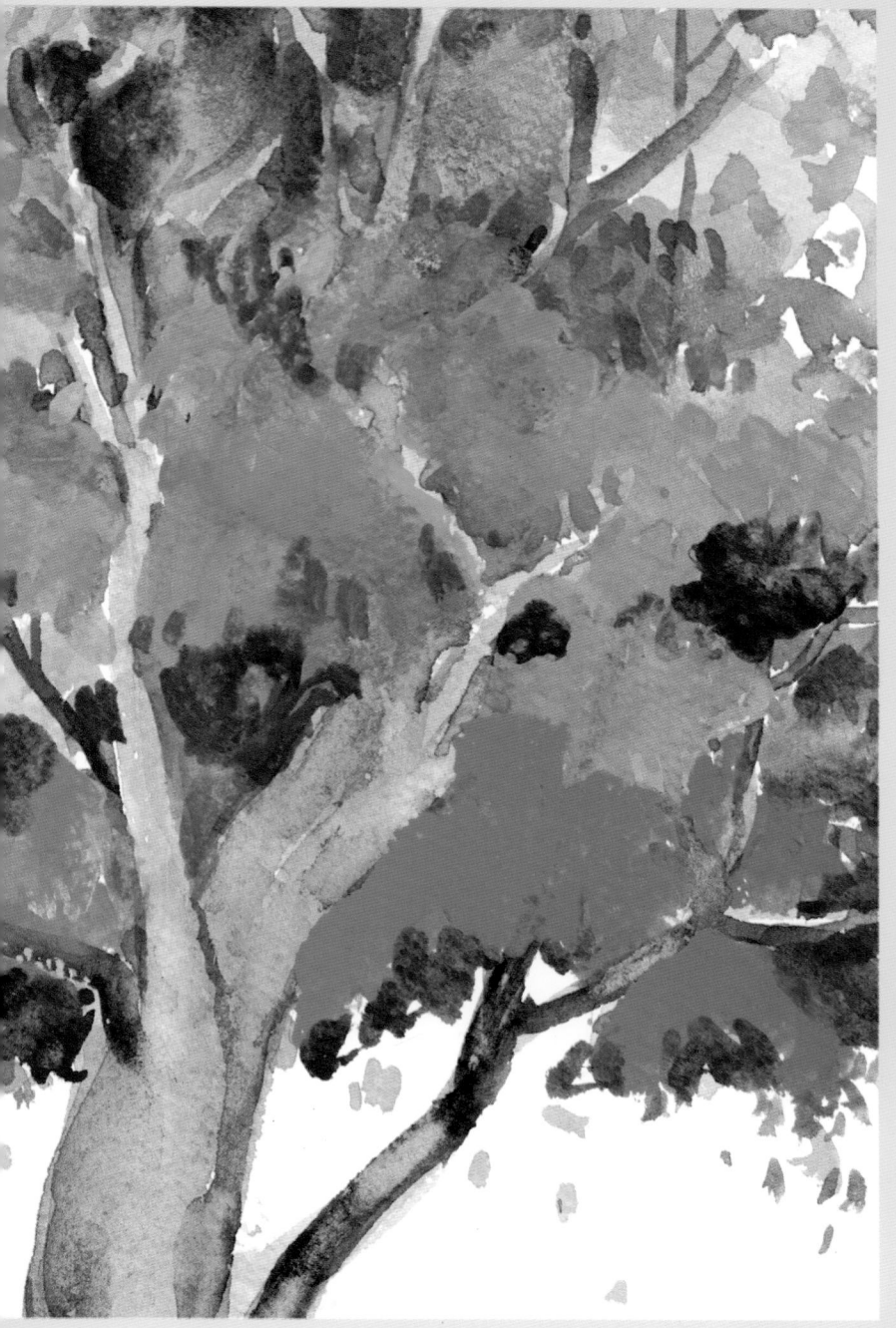

천리 만리(千里萬里)

말리지 못할 만치 몸부림하며
마치 천리 만리(千里萬里)나 가고도 싶은
맘이라고나 하여 볼까.
한 줄기 쏜살같이 벋은 이 길로
줄곧 치달아 올라가면
불붙는 산(山)의, 불붙는 산(山)의
연기(煙氣)는 한두 줄기 피어 올라라.

설움의 덩이

꿇어앉아 올리는 향로(香爐)의 향(香)불.
내 가슴에 조그만 설움의 덩이.
초닷새 달 그늘에 빗물이 운다.
내 가슴에 조그만 설움의 덩이.

애   모(愛慕)

왜 아니 오시나요.
영창(暎窓)에는 달빛, 매화(梅花)꽃이
그림자는 산란(散亂)히 휘젓는데.
아이. 눈 깍 감고 요대로 잠을 들자.

저 멀리 들리는 것!
봄철의 밀물 소래
물나라의 영롱(玲瓏)한 구중궁궐(九重宮闕), 궁궐(宮闕)의
오요한 곳,
잠 못 드는 용녀(龍女)의 춤과 노래, 봄철의 밀물 소래.

어두운 가슴 속의 구석구석……
환연한 거울 속에, 봄구름 잠긴 곳에,
소솔비 나리며, 달무리 둘려라.
이대도록 왜 아니 오시나요. 왜 아니 오시나요.

개 아 미

진달래꽃이 피고
바람은 버들가지에서 울 때,
개아미는
허리 가늣한 개아미는
봄날의 한나절, 오늘 하루도
고달피 부지런히 집을 지어라.

귀뚜라미

산(山)바람 소래.
찬비 뜯는 소래.
그대가 세상 고락(世上苦樂) 말하는 날 밤에,
순막집 불도 지고 귀뚜라미 울어라.

반(半) 달

희멀끔하여 떠돈다, 하늘 위에,
빛 죽은 반(半)달이 언제 올랐나!
바람은 나온다, 저녁은 춥구나,
흰 물가엔 뚜렷이 해가 드누나.

어둑컴컴한 풀없는 들은
찬 안개 우으로 떠흐른다.
아, 겨울은 깊었다, 내 몸에는,
가슴이 무너져 내려앉는 이 설움아!

가는 님은 가슴엣 사랑까지 없애고 가고
젊음은 늙음으로 바뀌어 든다.
들 가시나무의 밤드는 검은 가지
잎새들만 저녁빛에 희그무려히 꽃지듯 한다.

님과 벗

벗은 설움에서 반갑고
님은 사랑에서 좋아라.
딸기꽃 피어서 향기(香氣)로운 때를
고초(苦椒)의 붉은 열매 익어 가는 밤을
그대여, 부르라, 나는 마시리.

만 리 성(萬里城)

밤마다 밤마다
온 하룻밤!
쌓았다 헐었다
긴 만리성(萬里城)!

IV. 금잔디

금(金) 잔 디

잔디,
잔디,
금잔디,
심심산천(深深山川)에 붙는 불은
가신 님 무덤가엣 금잔디.
봄이 왔네, 봄빛이 왔네.
버드나무 끝에도 실가지에.
봄빛이 왔네, 봄날이 왔네,
심심산천(深深山川)에도 금잔디에.

나의 집

들가에 떨어져 나가 앉은 메 기슭의
넓은 바다의 물가 뒤에,
나는 지으리, 나의 집을,
다시금 큰 길을 앞에다 두고.
길로 지나가는 그 사람들은
제가끔 떨어져서 혼자 가는 길.
하이한 여울턱에 날은 저물 때.
나는 문(門)간에 서서 기다리리
새벽 새가 울며 지새는 그늘로
세상은 희게, 또는 고요하게,
번쩍이며 오는 아침부터,
지나가는 길손을 눈여겨 보며,
그대인가고, 그대인가고.

고　향(故鄕)

1

짐승은 모를는지 고향인지라
사람은 못 잊는 것 고향입니다
생시에는 생각도 아니하는 것
잠들면 어느덧 고향입니다

조상님 뼈 가서 묻힌 곳이라
송아지 동무들과 놀던 곳이라
그래서 그런지도 모르지마는
아아 꿈에서는 항상 고향입니다

2

봄이면 곳곳이 산(山)새 소래
진달래 화초(花草) 만발(滿發)하고
가을이면 골짜구니 물드는 단풍(丹楓)
흐르는 샘물 위에 떠나린다

바라보면 하늘과 바닷물과
차 차 차 마주 붙어 가는 곳에
고기잡이배 돛 그림자
어기엇차 디엇차 소리 들리는 듯

3

떠도는 몸이거든
고향(故鄕)이 탓이 되어
부모님 기억(記憶), 동생들 생각
꿈에라도 항상(恒常) 그곳서 뵈옵니다

고향이 마음 속에 있습니까
마음 속에 고향도 있습니다
제 넋이 고향에 있습니까
고향에도 제 넋이 있습니다

마음에 있으니까 꿈에 뵈지요
꿈에 보는 고향이 그립습니다
그곳에 넋이 있어 꿈엣 가지요
꿈에 가는 고향이 그립습니다

4

물결에 떠내려간 부평(浮萍)ㅅ줄기
자리잡을 새도 없네
제 자리로 돌아갈 날 있으랴마는!
괴로운 바다 이 세상에 사람인지라 돌아가리

고향을 잊었노라 하는 사람들
나를 버린 고향이라 하는 사람들
죽어서만은 천애일방(天涯一方) 헤매지 말고
넋이라도 있거들랑 고향으로 네 가거라

바라건대는 우리에게 우리의
보습 대일 땅이 있었더면

나는 꿈꾸었노라, 동무들과 내가 가즈란히
벌 가의 하루 일을 다 마치고
석양(夕陽)에 마을로 돌아오는 꿈을,
즐거이, 꿈 가운데.

그러나 집 잃은 내 몸이어,
바라건대는 우리에게 우리의 보습 대일 땅이 있었더면!
이처럼 떠돌으랴, 아침에 점을손에

새라새로운 탄식(歎息)을 얻으면서.

동(東)이랴, 남북(南北)이랴,
내 몸은 떠가나니, 볼지어다,
희망(希望)의 반짝임은, 별빛이 아득임은.
물결뿐 떠올라라, 기슴에 팔다리에.

그러나 어쩌면 황송한 이 심정(心情)을! 날로 나날이
내 앞에는
자칫 가느른 길이 이어가라. 나는 나아가리라
한 걸음, 또 한 걸음. 보이는 산(山)비탈엔
온 새벽 동무들 저저 혼자…… 산경(山耕)을 김매이는.

여　수(旅愁) 1

6월(六月) 어스름 때의 빗줄기는
암황색(暗黃色)의 시골(屍骨)을 묶어 세운 듯,
뜨며 흐르며 잠기는 손의 널쪽은
지향(支向)도 없어라, 단청(丹青)의 홍문(紅門)！

여   수(旅愁) 2

저 오늘도 그리운 바다,
건너다 보자니 눈물겨워라!
조고마한 보드라운 그 옛적 심정(心情)의
분결 같은 그대의 손의
사시나무보다도 더한 아픔이
내 몸을 에워싸고 휘떨며 찔러라,
나서 자란 고향(故鄕)의 해돋는 바다요.

오시는 눈

땅 위에 쌔하얗게 오시는 눈.
기다리는 날에는 오시는 눈.
오늘도 저 안 온 날 오시는 눈.
저녁불 켤 때마다 오시는 눈.

깊고 깊은 언약

몹쓸은 꿈을 깨여 돌아누울 때,
봄이 와서 멧나물 돋아나올 때,
아름다운 젊은이 앞을 지날 때,
잊어버렸던 듯이 저도 모르게,
얼결에 생각나는 「깊고 깊은 언약」

바람과 봄

봄에 부는 바람, 바람 부는 봄,
적은 가지 흔들리는 부는 봄바람,
내 가슴 흔들리는 바람, 부는 봄,
봄이라 바람이라 이 내 몸에는
꽃이라 술잔(盞)이라 하며 우노라.

어 인(漁人)

헛된 줄 모르고나 살면 좋아도!
오늘도 저 너메편(便) 마을에서는
고기잡이 배 한 척(隻) 길 떠났다고.
작년(昨年)에도 바닷놀이 무서웠건만.

우리 집

이 바루
외따로 와 지나는 사람 없으니
「밤 자고 가자」하며 나는 앉어라.

저 멀리, 하느편(便)에
배는 떠나 나가는
노래 들리며

눈물은
흘러나려라
스르르 나려감는 눈에.

꿈에도 생시에도 눈에 선한 우리 집
또 저 산(山) 넘어넘어
구름은 가라.

찬 저녁

퍼르스럿한 달은, 성황당의
데군데군 헐어진 담 모도리에
우둑히 걸리었고, 바위 위의
가마귀 한 쌍, 바람에 나래를 펴라.

엉기한 무덤들은 들먹거리며,
눈 녹아 황토(黃土) 드러난 멧기슭의,
여기라, 거리 불빛도 떨어져 나와,
집 짓고 들었노라, 오오 가슴이어

세상은 무덤보다도 다시 멀고
눈물은 물보다 더 덥음이 없어라.
오오 가슴이어, 모닥불 피어 오르는
내 한세상, 마당가의 가을도 갔어라.

그러나 나는, 오히려 나는
소래를 들어라, 눈석이물이 씨거리는
땅 위에 누워서, 밤마다 누워,
담 모도리에 걸린 달을 내가 또 봄으로.

지   연(紙鳶)

오후의 네길거리 해가 들었다,
시정(市井)의 첫겨울의 적막(寂寞)함이어,
우둑히 문 어구에 혼자 섰으면,
흰 눈의 잎사귀, 지연(紙鳶)이 뜬다.

먼 후일(後日)

먼 훗날 당신이 찾으시면
그때에 내 말이 「잊었노라」

당신이 속으로 나무리면
「무척 그리다가 잊었노라」

그래도 당신이 나무리면
「믿기지 않아서 잊었노라」

오늘도 어제도 아니 잊고
먼 훗날 그때에 「잊었노라」

낭인(浪人)의 봄

휘둘리 산(山)을 넘고,
굽이진 물을 건너,
푸른 풀 붉은 꽃에
길 걷기 시름이어.
      (愁)

잎 누른 시닥나무,
철 이른 푸른 버들,
해 벌써 석양(夕陽)인데
물 슷는 바람이어.
(부러스치는)

골짜기 이는 연기(烟氣)
메 틈에 잠기는 데,
산(山)모루 도는 손외
슬지는 그림자여.
(스러지는)

산(山)길가 외론 주막,
어이그, 쓸쓸한데,
먼저 든 짐장사의
곤한 말 한 소래여.

지는 해 그림 지니,
오늘은 어데까지,

어둔 뒤 아무데나,
가다가 묵을네라.

풀숲에 물김 뜨고,
달빛에 새 놀래는,
고운 봄 야반(夜半)에도
내 사람 생각이어.

원 앙 침 (鴛鴦枕)

바드득 이를 갈고
죽어 볼까요
창(窓)가에 아롱아롱
달이 비친다

눈물은 새우잠의
팔굽 베개요
봄 꿩은 잠이 없어
밤에 와 운다.

두동달이 베개는
어디 갔는고
언제는 둘이 자던 베개 머리에
「죽자 사자」 언약도 하여 보았지.

봄메의 멧기슭에
우는 접동도
내 사랑 내 사랑
좋이 울것다.

두동달이 베개는
어디 갔는고
창(窓)가에 아롱아롱
달이 비친다.

옛 낮

생각의 끝에는 졸음이 오고
그리움의 끝에는 잊음이 오나니,
그대여, 말을 말어라, 이후(後)부터,
우리는 옛낯 없는 설움을 모르리.

V. 초혼(招魂)

초   혼(招魂)

산산이 부서진 이름이어 !
허공중(虛空中)에 헤어진 이름이어 !
불러도 주인(主人) 없는 이름이어 !
부르다가 내가 죽을 이름이어 !

심중(心中)에 남아 있는 말 한 마디는
끝끝내 마자 하지 못하였구나.
사랑하던 그 사람이어 !
사랑하던 그 사람이어 !

붉은 해는 서산(西山)마루에 걸리었다.

사슴의 무리도 슬피 운다.
떨어져 나가 앉은 산(山) 위에서
나는 그대의 이름을 부르노라.

설움에 겹도록 부르노라.
설움에 겹도록 부르노라.
부르는 소리는 비껴가지만
하늘과 땅 사이가 너무 넓구나.

선 채로 이 자리에 돌이 되어도
부르다가 내가 죽을 이름이어!
사랑하던 그 사람이어!
사랑하던 그 사람이어!

새   벽

낙엽(落葉)이 발이 숨는 못물가에
우뚝우뚝한 나무 그림자
물빛조차 어섬푸러히 떠오르는데,
나 혼자 섰노라, 아직도 아직도,
동(東)녘 하늘은 어두운가.
천인(天人)에도 사랑 눈물, 구름되어,
외로운 꿈의 베개, 흐렸는가
나의 님이어, 그러나 그러나
고이도 불그스레 물 질려 와라
하늘 밟고 저녁에 섰는 구름.
반(半)달은 중천(中天)에 지새일 때.

무　심(無心)

시집 와서 삼년(三年)
오는 봄은
거친 벌 난벌에 왔습니다

거친 벌 난벌에 피는 꽃은
졌다가도 피노라 이릅디다
소식 없이 기다린

이태 삼년(三年)

바로 가던 앞강(江)이 간 봄부터
굽이 돌아 휘돌아 흐른다고
그러나 말 마소, 앞 여울의
물빛은 예대로 푸르렀소

시집 와서 삼년(三年)
어느 때나
터진개 개여울의 여울물은
거친 벌 난벌에 흘렀습니다.

여자(女子)의 냄새

푸른 구름의 옷 입은 달의 냄새.
붉은 구름의 옷 입은 해의 냄새.
아니, 땀 냄새, 때묻은 냄새,
비에 맞아 축업은 살과 옷 냄새.

푸른 바다…… 어즈리는 배……
보드라운 그리운 어떤 목숨의
조고마한 푸릇한 그무러진 영(靈)
어우러져 비끼는 살의 아우성……

다시는 장사(葬死) 지나간 숲속엣 냄새.
유령(幽靈) 실은 널뛰는 뱃간엣 냄새.
생고기의 바다의 냄새.
늦은 봄의 하늘을 떠도는 냄새.

모래 두던 바람은 그물 안개를 불고
먼 거리의 불빛은 달저녁을 울어라.
냄새 많은 그 몸이 좋습니다.
냄새 많은 그 몸이 좋습니다.

그를 꿈꾼 밤

야밤중, 불빛이 발갛게
어렴풋이 보여라.

들리는 듯, 마는 듯,
발자국 소래.
스러져 가는 발자국 소래.

아무리 혼자 누워 몸을 뒤재도
잃어버린 잠은 다시 안 와라.

야밤중, 불빛이 발갛게
어렴풋이 보여라.

서울 밤

붉은 전등(電灯).
푸른 전등(電灯).
넓다란 거리면 푸른 전등(電灯).
막다른 골목이면 붉은 전등(電灯).
전등(電灯)은 반짝입니다.
전등(電灯)은 그무립니다.
전등(電灯)은 또 다시 어스렷합니다.
전등(電灯)은 죽은 듯한 긴 밤을 지킵니다.

나의 가슴의 속모를 곳의
어둡고 밝은 그 속에서도

붉은 전등(電灯)이 흐득여 웁니다,
푸른 전등(電灯)이 흐득여 웁니다.

붉은 전등(電灯).
푸른 전등(電灯).
머나먼 밤하늘은 새캄합니다.
머나먼 밤하늘은 색캄합니다.

서울 거리가 좋다고 해요,
서울 밤이 좋다고 해요.
붉은 전등(電灯).
푸른 전등(電灯).
나의 가슴의 속모를 곳의
푸른 전등(電灯)은 고적(孤寂)합니다.
붉은 전등(電灯)은 고적(孤寂)합니다.

담   배

나의 긴 한숨을 동무하는
못 잊게 생각나는 나의 담배!
내력(來歷)을 잊어버린 옛 시절(時節)에
났다가 새없이 몸이 가신
아씨님 무덤 위의 풀이라고
말하는 사람도 보았어라.
어물어물 눈 앞에 스러지는 검은 연기(煙氣),
다만 타붙고 없어지는 불꽃.
아 나의 괴로운 이 맘이어.
나의 하염없이 쓸쓸한 많은 날은
너와 한가지로 지나가라.

부　모(父母)

낙엽(落葉)이 우수수 떨어질 때
겨울의 기나긴 밤,
어머님하고 둘이 앉아
옛이야기 들어라.

나는 어쩌면 생겨 나와
이 이야기 듣는가?
묻지도 말아라, 내일(來日)날에
내가 부모(父母)되어서 알아보랴?

예전엔 미처 몰랐어요

봄 가을 없이 밤마다 돋는 달도
　　「예전엔 미처 몰랐어요.」

이렇게 사무치게 그리울 줄도
　　「예전엔 미처 몰랐어요.」

달이 암만 밝아도 쳐다볼 줄을
　　「예전엔 미처 몰랐어요.」

이제금 저 달이 설움인 줄은
　　「예전엔 미처 몰랐어요.」

그 리 워

봄이 다 가기 전,
    이 꽃이 다 흘기 전
그린 님 오실까구
뜨는 해 지기 전에.

엷게 흰 안개 새에
바람은 무겁거니,
밤샌 달 지는 양자,
어제와 그리 같이.

붙일 길 없는 맘세,
그린 님 언제 뵐런,

우는 새 다음 소랜,
늘 함께 듣사오면.

춘향(春香)과 이도령(李道令)

평양(平壤)에 대동강(大同江)은
우리나라에
곱기로 으뜸가는 가람이지요

삼천리(三千里) 가다가다 한가운데는
우뚝한 삼각산(三角山)이
솟기도 했소

그래 옳소 내 누님, 오오 누이님
우리나라 섬기던 한 옛적에는
춘향(春香)과 이도령(李道令)도 살았다지요

이편(便)에는 함양(咸陽), 저편(便)에 담양(潭陽),
꿈에는 가끔가끔 산(山)을 넘어
오작교(烏鵲橋) 차차 찾아 가기도 했소

그래 옳소 누이님 오오 내 누님
해 돋고 달 돋아 남원(南原) 땅에는
성춘향(成春香) 아가씨가 살았다지요

눈 오는 저녁

바람 자는 이 저녁
흰 눈은 퍼붓는데
무엇하고 계시노
같은 저녁 금년(今年)은……

꿈이라도 꾸면은!
잠들면 만날런가.
잊었던 그 사람은
흰 눈 타고 오시네.

저녁때. 흰 눈은 퍼부어라.

봄   비

어룰없이 지는 꽃은 가는 봄인데
어룰없이 오는 비에 봄은 울어라.
서럽다, 이 나의 가슴 속에는 !
보라, 높은 구름 나무의 푸릇한 가지.
그러나 해 늦으니 어스름인가.
애달피 고운 비는 그어 오지만
내 몸은 꽃자리에 주저앉아 우노라.

김소월의 시(詩)세계

신 동 한
(문학평론가)

우리나라 현대시 가운데에서 가장 많이 알려지고 또 가장 널리 읽혀지는 작품의 시인으로는 김소월(金素月)을 첫 손가락으로 꼽아야 할 것이다. 그만큼 그의 시는 많은 사람에게 애송되는, 대표적인 민족시인이라고 할 수 있다.

김소월(金素月)──그의 본명은 정식(廷湜, 본관은 공주). 그는 널리 알려진 대로 1902년 9월 7일 평안북도 정주군 곽산면 남단리(平安北道 定州郡 郭山面 南端里), 속칭 남산(南山)골에서 태어났다. 남산학교와 오산학교, 배재고보를 다녔고, 한때는 일본 동경(東京)에 건너가 수학하기도 한 그는 후일 주로 처가가 있는 구성군 남산에서 살다가 1934년 12월 24일 고향에서 얼마 멀지 않은 남시에서 마지막 숨을 거뒀다. 결국 이 세상에 나서 타계하기까지 서른 두해와 몇 개월의 생을 살다간 셈이다.

시를 모르는 사람들조차도 이렇듯 짧은 생애를 살다간 소월의 시를 한두 편 입에 올리고, 이를 애찬하는 시집들이 줄을 이어 나오며, 가장 많이 읽히고 팔린 시집으로 「소월시집」을 꼽는 연유는 어디에 있을까?

어떠한 이유로 김소월의 시는 이와같은 폭발적인 명성을 누리고 오늘에 이르도록 우리 현대시의 최고 인기의 봉우리를 차지하고 있는 것일까?

그것은 뭐니뭐니 해도 김소월의 시가 알기 쉬운 표현을 함으로써 읽어 나가는 데 부담을 주지 않는다는 점일 것이다.

읽기 쉽고 이해하는 데 힘이 들지 않는다는 것은 김소월의 시의 가장 큰 매력이다. 그렇다고 해서 그의 시가 저속하거나 경박하냐 하면 절대로 그렇지가 않은 것이다. 높은 품격과 격조를 지니고 있으면서도 쉬운 표현으로 읽는 사람의 마음을 사로잡고 있는 것이다.

또 소월의 시가 엄청나게 많은 사람들에게 읽히는 이유로써는 그의 시의 소재나 내용이 가장 보편적인 우리 민족의 정서를 폭넓게 읊어 나가고 있다는 점이다.

소월의 시 가운데에는 그리움, 이별, 한숨 등 우리 겨레에게 옛부터 이어져 내려오는 뿌리깊은 정과 한이 언제나 바닥에 깔려 있는 것이다. 이것이 읽는 사람의 가슴에 파고들지 않고는 못 배기게 만들어 놓는 것이다.

그러면서 소월의 시의 가락은 우리 겨레에게 가장 익숙한 민요조(民謠調)의 것으로 쉬우면서도 간결하고 소박하면서도 친근한 것이다.

이러니 소월의 시가 널리 읽히지 않을 수가 없다. 그의 시는 완벽에 가까운 서정성을 지니고 있는 점에서 그 뒤에 나온 여러 서정시인들도 감히 그 위치를 침범하지 못한다.

여기에 소월의 서정시 가운데의 절창(絶唱)이라고도 할 수 있는 시 〈진달래꽃〉을 예로 들어 보자.

나 보기가 역겨워
가실 때에는
말없이 고이 보내 드리우리다

영변(寧邊)에 약산(藥山)
진달래꽃
아름 따다 가실 길에 뿌리우리다

가시는 걸음걸음
놓인 그 꽃을
사뿐히 즈려밟고 가시옵소서

나 보기가 역겨워
가실 때에는
죽어도 아니 눈물 흘리우리다

사랑하는 사람을 떠나보내는 사무치는 정념을 이만큼 간절하고 처절하게 부른 노래가 또 있을까 하고 탄성을 올릴 만큼 그것은 아름답고 **뼈**아프게 표현되고 있는 것이다.

여기에는 스스로를 희생하며 사랑하는 사람에게 모든 것을 바치려는 넘치는 마음의 소용돌이가 그 뜨거운 정열을 다소곳하게 가라앉히면서도 사람의 가슴에 깊이 파고드는 무서운 힘을 가지고 육박해 온다.

이와 같이 가슴에 사무치는 사랑의 정념을 더욱 확대하고 심화시켜 놓았다고 볼 수 있는 것이 소월의 또 다른 절창이며 대표작인 〈먼 후일(後日)〉이다.

먼 훗날 당신이 찾으시면
그때에 내 말이 「잊었노라」

당신이 속으로 나무리면
「무척 그리다가 잊었노라」

그래도 당신이 나무리면
「믿기지 않아서 잊었노라」

오늘도 어제도 아니 잊고
먼 훗날 그때에 「잊었노라」

이 작품도 역시 〈진달래꽃〉처럼 사랑하는 사람과의 이별을 읊은 것이다. 그러나 그것은 추상적이기는 하지만 더욱 섬세하고 미묘하며 절실한 표현을 하고 있다.

이렇게 해서 우리 서정시의 하나의 전형(典型)을 꾸미고 있는 이들 작품은 두고 두고 많은 사람들에게 읽히면서 겨레의 가슴을 적시기도 하고 달래주기도 하는 것이다.

그러면서도 그 동안에는 소월의 시가 개인적인 체념이나 고독에 너무 집착하고 무력한 정한의 세계에만 파묻혀 있지 않았나 하는 비판의 소리도 있었다.

그러나 이와 같은 비판은 근래에 소월의 그 동안 발견되지 않았던 유고시(遺稿詩)를 찾아내는 데서 그 점을 물리칠 수 있게 되었다. 그와 같은 경향의 작품으로 〈인종(忍從)〉이라는 제목의 시의 일부를 아래에 옮겨 본다.

우리는 괴로우니 슬픈 노래를 부르자.
그러나 조선(祖先)이 슬퍼도 즐거워도 우리의 노래는 건전하고
사뭇 우리의 정신이 있고,
그 정신 가운데서야 우리 생존의 의의가 있다.
──중 략──
오직 배워서 알고 보자.
우리가 어른되는 그 날에는
자연히 싸우게 되고
싸우면 이길 줄 안다.

섬세하고 내성적인 서정시를 주로 써 온 것으로 알려졌던 소월의
작품 세계에 이와 같은 시가 있었다는 것은 새로운 놀라움과 감탄을
자아내게 하는 사실인 것이다.

소월의 시에는 이밖에도 나라와 겨레를 애타게 생각하는 여러 편
의 작품이 있다. 이것은 그동안 소월을 서정시인이나 민요시인으로
서만 생각해 왔던 평가에 대해 새로운 수정을 가하는 커다란 계기가
되어 주고 있다.

소월이 이룩해 놓은 시(詩)세계는 이렇게 본다면 너무나 폭넓으면
서도 그 뛰어난 표현이 우리 시(詩)문학의 선구자이며 개척자일 뿐
아니라 무한한 시(詩)정신의 숭고한 보고(寶庫)로서의 구실까지도
해주는 것이다.

세 계 명 시 선 집

세계명시선집 〈6〉 **김 소 월**

혁신 초판 발행   2021년 5월 31일
그 린 이   안   영
펴 낸 이   최 석 로
펴 낸 곳   서 문 당
주   소   경기도 고양시 일산 서구 덕산로 99번길 85
우편번호   10204
전   화   031-923-8288
팩   스   031-923-8259
창립일자   1968년 12월 24일
창업등록   1968.12.26 No.가2367
출판등록   제 406-313-2001-000005호
ISBN   978-79-8243-805-2
초판 발행 1991년 11월 20일
* 파본은 바꾸어드립니다.